GILBERT DELAHAYE
MARCEL MARLIER

martine
un amour de poney

Texte de JEAN-LOUIS MARLIER

casterman

Mais quelle est cette surprise dont
grand-mère a parlé ?

– Plus vite, Jean, crie Martine. Nous y sommes presque !

Encore un virage et voici la maison.

Les enfants sont heureux d'arriver enfin.

– Bonjour, vous avez fait bonne route ? lance grand-mère, en venant
les accueillir. Pas trop fatigués ? Bonjour Alain ! Comme tu as grandi !

Mais Alain regarde au loin, là-bas dans la prairie.

Soudain il s'écrie :

– Martine ! Regarde ! Des *chevals* !

La grande sœur ne peut s'empêcher de rire. Elle rectifie :

– On doit dire des chevaux !

Le garçon n'entend pas cette leçon de français. Déjà, il a passé le fil barbelé et il galope dans les herbes hautes du pré.

– Alain, attends-nous !

L'enfant, haut comme trois pommes, est maintenant immobile. Devant lui : une maman poney et son petit. Les animaux étonnés ont cessé de brouter ; ils dévisagent ce petit homme au regard tout baigné d'admiration.

– Mon petit Alain vient de tomber amoureux pour la première fois de sa vie, pense Martine, souriante.

– Ce sont des animaux que j'ai recueillis ce printemps, explique grand-mère. Leur maître est parti pour l'étranger.

Ils sont très farouches, cela m'étonne qu'Alain puisse les approcher. Moi-même, je n'y suis jamais parvenue.

– Comment s'appellent-ils ?

– Le bébé, c'est Jessy et la maman se nomme Princesse.

– Patapouf ! Non ! reste ici ! supplie Martine.

Trop tard !

Le poulain, qui n'a jamais vu une bête si étrange, se lance à la poursuite du petit chien ; la ponette trotte aussitôt sur les pas de son petit et, Alain se met à courir derrière eux en lançant des cris de joie.

– Au secours ! hurle Patapouf.

– Yahoo ! crie l'enfant.

– Alain ! Patapouf ! s'égosillent Martine et Jean qui s'élancent, eux aussi, à travers les herbes hautes.

Quelle cavalcade
dans la prairie !

Voilà des vacances qui commencent bien. Dès le lendemain matin, les enfants décident d'apprivoiser les poneys. Pour cela, il suffit de s'asseoir au bord de la prairie avec de la nourriture plein les mains, et surtout d'être patient. Ces animaux-là sont curieux et gourmands. Ils ne résistent jamais longtemps à une délicieuse invitation.

– Vite ! Mets-lui le licol ! dit Jean.

– Je l'ai attrapé ! Il se débat, le bougre.

– Ne lâche surtout pas la longe !

– Pas peur ! Pas peur, petit poney ! supplie Alain.

– Pour qu'ils nous aiment bien, c'est très simple, dit Martine. Il faut de la nourriture, des caresses, et puis surtout, le plus souvent possible, un brossage énergique.

Alain, Jean, prenez ces brosses et cette étrille.

Oh oui ! Tu aimes bien ça, hein ma belle !

Les jours suivants, quand les poneys sont en confiance, il est temps
de travailler à la longe.

– Va ! Princesse ! Va ! Au pas. Oui. Tout doux ! Au trot maintenant.
Le petit Alain saute de joie.

– C'est le plus beau poney du monde !

Il est vrai que Princesse a fière allure avec
sa crinière légère et sa queue qui vole
au vent. Elle a les naseaux qui
frémissent. On la sent nerveuse et
volontaire ; son souffle est puissant.
Elle lève bien haut les pattes par-dessus
l'herbe du pré.

10

Alors Martine lui lance le mot magique.
Elle crie : "Au galop !"

Et Princesse s'élance, comme si elle déployait ses ailes.
Sous ses sabots, le sol disparaît. Elle se fond toute entière
en un mouvement fluide et balancé.
– Au pas ! Oui… au pas, Princesse. Tout doux.
Alain a bien raison. Tu es le plus beau poney du monde !

11

Aujourd'hui, les enfants sont venus emprunter du matériel
au manège de l'oncle André.

Ce n'est pas un manège qui tourne avec des petits avions ou des
animaux de bois, non ! Ici, on ne trouve que des chevaux vrais de
vrais : ceux qui font du crottin qui fume, ceux qui hennissent et
qui sautent plus haut que les maisons.

Ce sont des géants ! Pour qu'Alain puisse leur gratter l'oreille
il faudrait... il faudrait presque une échelle de pompiers.

– Attention à ne pas te faire écraser les pieds ! Ne passe jamais
derrière eux ! Présente ta main bien à plat.

Alain est très impressionné, heureusement que Martine est là.

La fillette l'entraîne vers un endroit plus calme : la sellerie.

– Non Alain, je t'assure que ces bottes de sept lieues sont bien trop grandes pour toi ! Non tu n'as pas besoin de cravache ! D'accord, tu porteras toi-même ta selle. Voilà. Nous avons tout ce qu'il nous faut.

De retour chez grand-mère,
Martine a bridé Princesse puis l'a sellée.
Elle vérifie la hauteur des étriers,
et enfin …

– Alain… c'est le moment.
En selle !

– Soulevé par Martine, le petit homme
s'élève dans les airs et le voilà qui,
pour la toute première fois, se retrouve
assis sur le dos imposant de l'animal.

Tout d'abord,
il ose à peine
respirer.

– Alors ? lui demande Martine.

– C'est haut ! répond Alain.

Martine s'assure que les
pieds du petit frère sont
bien dans les étriers.
Elle lui indique comment
tenir la crinière, puis :
– Au pas !

– Regardez ! Regardez tous ! Voilà un nouveau cavalier !
Voyez comme il est fier, là-haut, tout en haut de son poney !

Princesse, Jessy et les trois enfants sont devenus de véritables amis.
Ils se font confiance. Chaque soir, après le travail et le picotin,
roulades et caresses sont au programme.

Mais depuis quelques temps Patapouf
a l'air triste.
– Qu'y a-t-il ? demande Martine.
Tu es malade ? Ah ! Je vois…
je n'ai pas beaucoup fait attention
à toi pendant ces vacances !
Allons, c'est promis.
La journée de demain, elle ne sera
rien que pour toi !

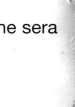

16

Martine tient toujours ses promesses.
Dès le lendemain matin, le petit
chien a été brossé, caressé, cajolé.

Puis ils ont fait une longue
promenade rien que tous les deux.

Cela a suffi pour que Patapouf
se sente revivre.
C'est vrai, quoi ! Passe encore pour Alain,
mais il n'est pas question que ces grandes
bêtes aux sabots vernis lui volent le cœur
de sa maîtresse !

Martine lui a confié une grande nouvelle :
comme c'est bientôt la fin des vacances,
oncle André va emmener tout le monde
en randonnée !

Et **clip** et **clop**, et **clip** et **clop**,

font les sabots des chevaux sur les pavés de la route.

Un groupe d'enfants traverse le village :

– Quels beaux poneys ! On peut les caresser ?

Le petit Alain fait les présentations. Tous les compliments qu'il entend sur la douceur de leur pelage, le rendent très fier de ses amis.

Puis, la randonnée reprend. Comme les gens du voyage, les enfants partent explorer le pays qui se trouve de l'autre côté de la colline.

Voici une forêt. C'est bon de pénétrer sous l'ombrage pour y trouver un peu de fraîcheur ! À l'approche du groupe, quelques écureuils s'enfuient au plus haut des branches…

Patapouf prétend qu'ils sont jaloux de son poil, plus roux que le leur. Jaloux de son panache si léger dans le vent. Quel cabot ce petit chien !

Dans les ornières du grand chemin, la charrette est ballottée, de gauche et de droite. Il ne faut pas croire que ce soit confortable, la vie d'aventuriers. Et puis, les enfants ouvrent tout grands les yeux car, dans cette sombre forêt, peut-être qu'il y a… des indiens !

Le soir venu, chacun s'active pour préparer le campement.
On dormira dans cette clairière.
– Les chevaux ont-ils bien eu leur ration de foin et d'avoine ?
Très bien ! félicite l'oncle, vous êtes de vrais cow-boys !
Maintenant, nous sommes libres de penser à nous.
Nous pouvons manger et nous reposer. Voici l'heure de la
veillée sous les étoiles.

Cela me rappelle une vieille chanson du Far West, dit-il
en saisissant sa guitare.
Alors l'oncle André se met à chanter et les enfants
éblouis se laissent porter par sa voix. L'histoire raconte les aventures
d'un brave cow-boy et de "Princesse" son amie, son cheval.

Dans les bras de sa sœur, Alain s'est endormi avant la fin de la chanson. Maintenant il rêve. Il rêve d'une ponette, soudain devenue plus grande qu'un cheval et d'un cavalier qui se nomme Alain. La monture et l'enfant ne font plus qu'un et ils galopent aussi vite que le vent.

Martine sait que le petit Alain pleurera en quittant ses amis…
… elle sait aussi que l'amour des chevaux est maintenant ancré, pour toujours, au plus profond de son cœur.

http://www.casterman.com
D'après les personnages créés par Gilbert Delahaye et Marcel Marlier / Léaucour Création.
Achevé d'imprimer en janvier 2014, en Italie par Lego. Dépôt légal : septembre 2006 ; D. 2006/0053/287.
Déposé au ministère de la Justice, Paris (loi n° 49.956 du 16 juillet 1949 sur les publications destinées à la jeunesse).
ISBN 978-2-203-10160-9
L.10EJCNCF6587.C010